Christine Angelard

Va vers toi-même

ou

l'importance de se remettre en marche

FIDES

Photo de la couverture : © Ingrid Prats/iStockphoto
Conception de la couverture : Gianni Caccia
Mise en pages : Gianni Caccia

*Catalogage avant publication de Bibliothèque et Archives nationales du Québec
et Bibliothèque et Archives Canada*

Angelard, Christine

Va vers toi-même, ou, l'importance de se remettre en marche

(Collection Corps et âme)

ISBN 978-2-7621-3052-2 [édition imprimée]
ISBN 978-2-7621-3226-7 [édition numérique PDF]
ISBN 978-2-7621-3352-3 [édition numérique ePub]

1. Méditation. 2. Marche – Aspect psychologique. 3. Marche – Aspect physiologique.
4. Esprit et corps. I. Titre. II. Titre : Comment se remettre en marche.
III. Collection: Collection Corps et âme.

BF637.M4A53 2012   158.1'2   C2011-942867-9

Dépôt légal : 2ᵉ trimestre 2012
Bibliothèque et Archives nationales du Québec
© Groupe Fides inc., 2012

La maison d'édition reconnaît l'aide financière du Gouvernement du Canada par l'entremise du
Fonds du livre du Canada pour ses activités d'édition. La maison d'édition remercie de leur soutien
financier le Conseil des Arts du Canada et la Société de développement des entreprises culturelles
du Québec (SODEC). La maison d'édition bénéficie du Programme de crédit d'impôt pour l'édition
de livres du Gouvernement du Québec, géré par la SODEC.

IMPRIMÉ AU CANADA EN MARS 2012

En voyageant, j'ai compris que
l'homme libre est nomade.
Jacques Brel

1 | Introduction

« Va » Le mot préféré de sœur Emmanuelle, intérrogée par Bernard Pivot dans le questionnaire de Proust...

La définition du Tao par la sagesse taoïste : VA !

Va en français.

Yallah en arabe.

Go en anglais.

Lékh lékha — « Va !... Va vers toi-même » en hébreu.

Le même mot, court, dynamique qui porte dans sa sonorité le souffle du vent, le courant d'air qui claque ou qui réveille !

Pourquoi ?

Parce que dans la notion même de se mettre en marche, on rejoint un des sens profonds de l'homme : quelles que soient les traditions, on trouve cette dynamique qui pousse l'homme à se mettre en mouvement.

L'homme est un bipède que la mise en marche a amené à découvrir d'autres lieux, d'autres gens, d'autres vies à l'extérieur de lui-même, mais, ce faisant, l'a aussi conduit vers une intériorité plus grande.

Le paradoxe est de creuser son intériorité en allant toujours plus avant dans des contrées inconnues ou connues : en se mettant en marche.

Dans l'Ancien Testament, au premier livre de la Genèse, Dieu dit à Abraham : « *Lékh lékha* – Va !... Va vers toi-même : hors de ton pays, de ta patrie et de la maison paternelle, vers le pays que Je t'indiquerai. Et Je ferai de toi une grande nation et Je te bénirai, Je grandirai ton nom, et tu seras bénédiction. »

Car le fait de partir, de se mettre en mouvement, s'il nous amènera ailleurs, nous ramènera immanquablement à nous-même, et sera un élément de croissance personnelle.

Comme si l'arrêt était la pire chose qui puisse arriver à l'humain.

C'est ce que je me propose d'explorer avec vous en cheminant au travers de ces pages.

Le livre est aussi un voyage...

On se souvient qu'en médecine traditionnelle chinoise (MTC), la maladie est un arrêt de circulation du Qi : lorsque l'énergie est bloquée, qu'elle ne circule plus correctement, cela entraîne des symptômes, voire la maladie...

Le mouvement semble donc vital

Souvenons-nous de nos cours de biologie où nous observions au microscope une cellule : une cellule vivante est animée d'un mouvement lent, presque gracieux, mais toujours incessant ; un mouvement lent, cohérent qui signe son bon fonctionnement.

Tout est dans le rythme. S'il y a précipitation ou anarchie dans le mouvement, à l'échelle de la cellule ou de l'humain, on retrouvera le chaos, la maladie, l'errance.

Nous verrons aussi à quel niveau, parfois surprenant, se situe « la remise en marche ».

Dans un premier temps, nous allons voir comment le mouvement, la remise en marche est bienfaisante sur le plan physiologique.

Puis les différents types de marche...

...qui nous révéleront la philosophie attachée à la marche.

Et enfin, quelques exemples de « remise en marche »...

◈　◈　◈　◈　◈　◈　◈　◈　◈　◈　◈　◈　◈　◈

2 | Les bienfaits physiologiques de la marche

*« La vie, c'est comme une bicyclette : il faut avancer
pour ne pas perdre l'équilibre ! »*
Albert Einstein

Aujourd'hui, nombreuses sont les personnes qui pratiquent la marche comme activité sportive régulière. Elle est en effet l'exercice le plus naturel qui soit ; elle entretient la souplesse sans imposer d'efforts violents. Pendant une course, les membres inférieurs subissent des chocs de deux à quatre fois le poids du corps, alors que pendant une marche, ceux-ci sont d'une fois et demie.

Biomécanique de la marche et quelques chiffres

« La marche est une activité complexe qui touche non seulement les articulations des membres inférieurs mais la totalité du corps. La marche normale dépend d'un juste équilibre entre plusieurs facteurs :

- la résistance du squelette du membre inférieur ;
- l'intégrité des articulations du pied, de la cheville, du genou, de la hanche, de la colonne vertébrale et des membres supérieurs ;
- la valeur fonctionnelle des structures tendino-musculaires ;
- les différents constituants du système nerveux périphérique et central, des mécanismes réflexes, des centres de coordination du mouvement et de leur régulation volontaire ;
- l'état général du sujet, son équilibre, ses motivations.

La marche est une succession de mouvements cycliques répétitifs avec des déplacements s'effectuant dans les trois plans de l'espace, avec une consommation énergétique minimale.

Toutes les atteintes des structures ostéoarticulaires, musculaires, neurologiques, périphériques ou centrales retentiront sur la marche avec la mise en œuvre de mécanismes compensateurs.

L'analyse de la marche a fait l'objet de très nombreux travaux et les méthodes se sont diversifiées grâce au développement des technologies.

La plupart de ces techniques sont encore complexes, du domaine du laboratoire et peu utilisées par le clinicien.

Le développement des méthodes ambulatoires rend plus accessible au clinicien ces techniques d'évaluation qualitative et quantitative de la marche normale et de ses troubles, et permet d'orienter et d'évaluer la prise en charge thérapeutique. »

Christian Mansat (chirurgien orthopédiste), « Lettre de L'observatoire du mouvement », *Toulouse, L'observatoire du mouvement, n° 11*, 2004.

On a pu objectiver :

- La vitesse de marche se situe entre 2 et 7 km / heure ; elle diminue avec l'âge.

- Moyenne de 10 secondes pour 10 mètres ; 110 pas par minute ; 80 mètres par minute.

- Consommation d'oxygène : 10 ml/kg/minute ; par exemple, en position couchée, la consommation est de 3,5 ml/kg/minute et debout, de 5 ml/kg/minute.

- La dépense énergétique aérobie est de l'ordre de 5 kcal/minute, pour une vitesse de 5 km / heure.

- Une heure de marche fait consommer en moyenne 300 kcal ; la course, entre 12 et 15 kcal par minute (*L'observatoire du mouvement*, n° 11, page 5).

Dans des services d'orthopédie, on étudie la marche des patients pour prévenir certains troubles ou pour quantifier l'évolution de leurs pathologies : la vitesse du pas, la perte de symétrie du demi-pas, la régularité et les modifications de l'onde de choc au niveau de la région lombaire sont étudiées grâce à un petit appareil porté par le patient lors de sa marche (Locométrix).

Ainsi, les modifications permettent d'évaluer non seulement l'arthrose, mais aussi le risque de chute chez la personne âgée, l'évolution de la maladie de Parkinson, le suivi du patient obèse dans ses dépenses caloriques, la modification de la marche chez les sujets fibromyalgiques, etc. (*L'observatoire du mouvement*, n° 11).

Une activité des plus naturelles est ainsi un reflet de multiples paramètres donnant une indication sur l'état de santé général du patient.

Nous verrons que d'autres facteurs seront révélés par la marche.

I

Marcher d'un pas vif oblige le cœur à travailler davantage pour oxygéner suffisamment les muscles. Par cet effort, le cœur accroît sa force de contraction et bat ainsi plus lentement que le cœur d'une personne sédentaire.

De plus, l'activité physique favorise l'augmentation du taux de ce qu'on appelle le « bon cholestérol », celui qui non seulement ne s'accumule pas sur les parois des artères, mais empêche également l'accumulation du « mauvais cholestérol ».

La marche est si bénéfique que la plupart des cardiologues la prescrivent de préférence à tout autre exercice. Avec des artères en bon état, la pression artérielle au repos est équilibrée et le risque d'accidents vasculaires, cardiaques ou cérébraux se trouve diminué.

Elle permet de plus d'améliorer le rythme cardiaque et la capacité respiratoire. Pour ces raisons, la marche est prescrite comme un traitement de remise en forme après un infarctus et est recommandée chez les asthmatiques.

Maria, à qui son médecin avait prescrit des médicaments contre le cholestérol et l'hypertension, car ceux-ci étaient un peu trop élevés, décida de ne pas prendre ces produits, mais de s'astreindre, tous les jours, quel que soit le temps, à une marche matinale de trois quarts d'heure. Bien chaussée et habillée en fonction de la température extérieure, elle partit tous les matins marcher d'un bon pas dès son réveil.

Très rapidement, elle en tira un bien-être tel que rien n'aurait pu la soustraire à cet exercice et, surtout, elle vit ses kilos superflus fondre presque aussi vite que son cholestérol et sa tension artérielle sont revenus dans les normes...

L'exercice est peut-être trop simple pour nos cerveaux torturés qui, inconsciemment, ont peine à y croire. Peut-être parce que cela est dénué de toute difficulté, de toute « punition » salvatrice ! Le saboteur, comme je l'ai déjà mentionné (*Voyage en pays d'intériorité*) n'y croit pas...

Et si on essayait de programmer nos cerveaux afin qu'ils sachent que la simplicité est aussi salvatrice ? La fluidité... Inutile de se torturer ; retrouvons le mouvement naturel de l'homme, ce pour quoi il est naturellement fait : la marche !

II

La marche ralentit l'érosion du tissu osseux et devient donc une excellente prévention de l'ostéoporose.

La marche est une excellente activité physique qui convient à presque tout le monde. Les personnes âgées qui marchent régulièrement et depuis longtemps ont moins de risque d'avoir des fractures.

Il est souhaitable d'avoir une bonne activité physique dès l'enfance et surtout pendant l'adolescence, car c'est à cette période de la vie que l'on constitue l'essentiel de notre capital osseux. Si l'on admet que nos gènes déterminent 80 % de notre capital osseux, il reste un 20 % qui dépend de notre hygiène de vie et en particulier de notre activité physique.

Tout le monde s'accorde sur le fait que la marche à pied contribue à réduire les risques de fracture osseuse à partir de 50 ans, et qu'elle s'inscrit parfaitement dans la prévention de l'ostéoporose.

◇ ◇ ◇ ◇ ◇ ◇ ◇ ◇ ◇ ◇ ◇ ◇ ◇ ◇ ◇

3 | La marche sous l'angle de la MTC

La marche permet de tonifier les muscles ;
en médecine traditionnelle chinoise (MTC),
on dit que la marche « draine » le foie.

E n effet, selon la MTC, le foie tient sous sa dépendance énergétique, en plus de ses propres fonctions : les muscles, les
tendons, les veines, les capillaires et les yeux.

Cela nous permet de mieux comprendre que la
marche, et tout mouvement régulier, tonifiera nos muscles en faisant circuler l'énergie dans le sens horaire
selon la loi d'engendrement de circulation énergétique
des cinq éléments.

En effet, selon le schéma ci-contre, l'énergie qui naît dans le Souffle (premier cri, dernier souffle, les poumons étant aussi les maîtres de tous les automatismes neurovégétatifs, selon la MTC) prend sa force dans les reins, pour se mettre en mouvement dans le foie, s'épanouir dans le cœur pour ensuite nourrir le mental, avant de repartir dans un autre souffle.

Autrement dit, sur le plan énergétique, on voit bien comment la marche, en faisant intervenir notre rythme respiratoire et nos muscles de façon plus active, fait repartir « la roue de la Vie » dans le bon sens.

Quand on sait que le foie est couplé à la vésicule biliaire et que l'émotion liée à la vésicule biliaire est la colère, on comprend mieux pourquoi une bonne marche peut calmer des esprits parfois torturés ou « ruminants ».

De même, le mouvement proprement mécanique de la marche lutte contre la stase veineuse et favorise donc un bon retour veineux.

C'est pourquoi la marche est conseillée dans la prévention des varices.

LA LOI DES 5 ÉLÉMENTS

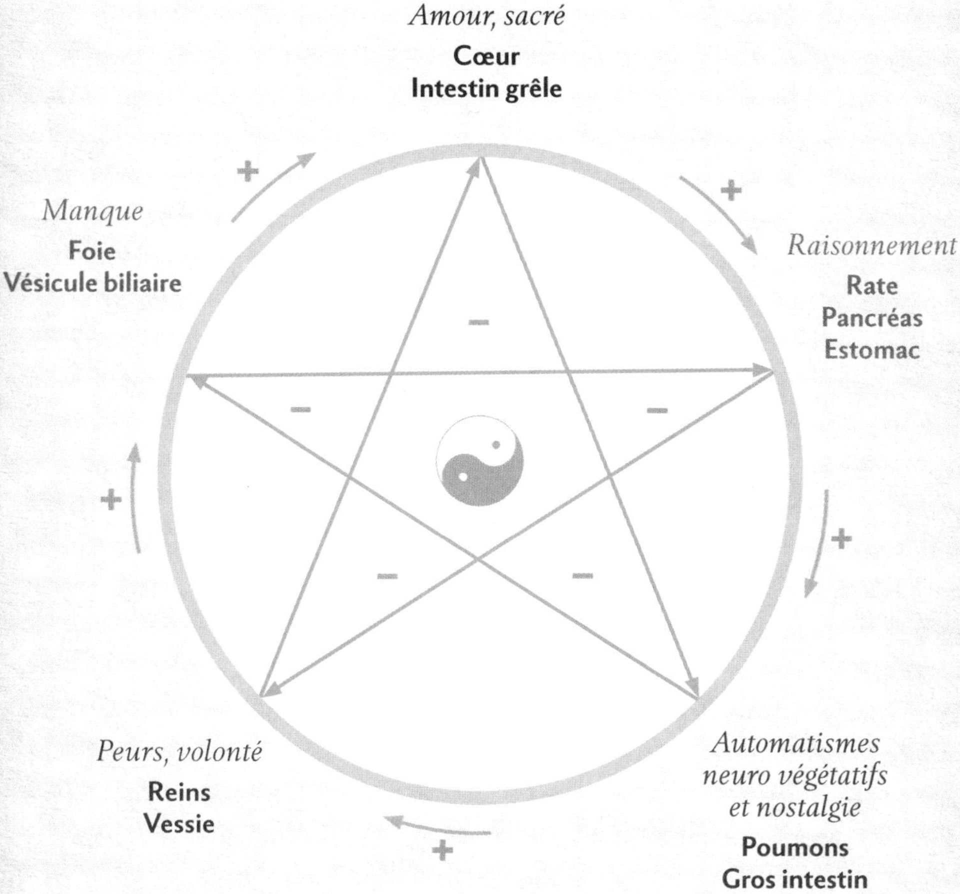

Amour, sacré
Cœur
Intestin grêle

Manque
Foie
Vésicule biliaire

Raisonnement
Rate
Pancréas
Estomac

Peurs, volonté
Reins
Vessie

Automatismes neuro végétatifs et nostalgie
Poumons
Gros intestin

Prévention mécanique parce que le sang veineux est ainsi mieux pulsé vers le cœur et prévention énergétique parce que le mouvement a une action énergétique sur le foie (drainant le foie) et entraîne la fluidité dans la circulation du Qi, de l'énergie.

On se souvient que le Qi est l'énergie vitale qui circule à travers tous nos organes. Une des circulations de l'énergie est illustrée par la loi des cinq éléments. Le Qi circule dans les cinq organes trésors selon cette loi d'engendrement. La pathologie apparaît lorsque l'énergie est arrêtée dans un organe, entraînant un déséquilibre. Ce déséquilibre bloque dans un premier temps la circulation linéaire dans le sens horaire, mais bloque aussi l'énergie dans l'organe qui lui fait face...

Donc, si on se reporte au schéma plus haut, lorsque l'énergie est arrêtée dans Rate-Pancréas en raison de troubles hormonaux, de rumination intellectuelle, de radiothérapie (trois grands troubles modifiant l'énergie de Rate-Pancréas), elle ira ensuite bloquer l'énergie des reins (l'élément qui lui fait face). Il y aura des perturbations de l'énergie des reins. Or, les reins sont aussi le siège des peurs, de la volonté. Il y aura aussi perturbation des glandes surrénales annexées aux reins, c'est-à-dire perturbation de notre réponse immunitaire (si les surrénales sont affaiblies, il y aura une plus grande sensibilité à toutes sortes de pathologies).

Devant ce blocage énergétique très souvent observé dans nos pathologies modernes – rumination intellectuelle, exagération du rationnel, codification à outrance, puis peurs, contrôle excessif et pathologies en déficit immunitaire ou pathologies psychosomatiques (épuisement ou anxiété) ; le lot laissé par nos civilisations qui ont donné au mental le rôle de moteur de vie –, le moyen le plus rapide et le plus efficace pour sortir de ce triangle « vicieux » sera de se REMETTRE EN MOUVEMENT ET DE FAIRE CIRCULER LE SOUFFLE EN SOI...

Sinon, l'énergie continuant à mal circuler dans le sens horaire et étant en plus bloquée dans l'énergie des reins, il y aura à moyen ou à long terme un retentissement sur le plan cardiaque, soit mécanique, soit énergétique.

Si l'énergie ne circule plus de façon fluide et que tout est bloqué par le mental et/ou les peurs... je suis incapable de ressentir l'énergie sacrée sise au Cœur. Je suis coupé de ma source sacrée.

Le cœur a les propriétés vitales qu'on lui connaît... mais c'est aussi le siège de l'énergie sacrée qui se trouve en tout homme ! Ce que la MTC appelle le « cœur empereur » ou le pâle reflet de l'énergie céleste en nous...

On comprend mieux l'importance de se « remettre en marche », de refaire circuler le flux, le Qi dans cette matière arrêtée par un mental qui tourne en boucle... et qui ne trouvera sûrement pas la solution... Car l'arrêt même de circulation se traduit aussi par une rigidité mentale ; la volonté de tout contrôler bloque TOTALEMENT la circulation de vie, brouille la vision, au sens propre autant que figuré... (n'oublions pas que la vue « siège » dans le foie qui ne reçoit plus suffisamment de souffle), et surtout, cette attitude nous coupe de toute notre connaissance intuitive, sacrée, de notre SOURCE : l'énergie du cœur.

Grâce aux connaissances de la MTC et de la circulation énergétique, nous saisissons davantage l'importance de la remise en mouvement.

Nous sommes faits autant d'énergie que de matière, et cette matière, animée d'un souffle, est aussi faite pour s'exprimer, par la voix, par la vibration (*Voyage en pays d'intériorité*), mais elle est aussi faite pour « aller », pour se mouvoir.

La stagnation de l'énergie est le début de la maladie. On ne doit pas rester arrêté trop longtemps.

La vie serait cette alternance de pauses et de nouveaux départs... Mouvement binaire de la respiration, avec l'inspiration et l'expiration, mouvement binaire de la marche et de la pause ; refaire ses forces, reprendre son souffle avant un prochain voyage... Voyage intérieur ou voyage extérieur, comme nous allons le voir.

Ne pas rester arrêté, ne pas rester enfermé surtout dans son mental, dans ses peurs, dans son ignorance... Aller vers...

Vivre la fluidité : c'est ce qui est demandé à l'homme...

4 | La marche anti-stress

Les contrariétés de la vie quotidienne surexcitent notre système nerveux, accélèrent notre rythme cardiaque et font monter notre tension musculaire et notre tension artérielle. Cela est dû au fait que notre système nerveux autonome (ce que j'appelle familièrement notre « pilote automatique ») est toujours en mode orthosympathique, toujours le pied sur l'accélérateur. Toujours en sur-stress. Le corps subit trop de stimuli, tant sensoriels que psychologiques, et peine à retrouver un équilibre, générant tous les troubles d'épuisement qui sont légion dans les motifs d'absentéisme et d'arrêt de travail pour cause de maladie.

Or, la marche, calme ou rapide, est aussi un remède contre le stress. Ce qui compte ici, ce n'est pas tant l'exercice lui-même, mais les conditions dans lesquelles on le pratique. En effet, si nous marchons rapidement pendant un quart d'heure parce que nous craignons d'arriver en retard, nous accroissons notre stress et l'effet est assurément négatif.

La même marche, à la même vitesse, pratiquée dans un espace vert, avec pour seul but d'améliorer notre santé, réduira le stress en favorisant un meilleur entraînement musculaire.

Une marche faite en toute conscience, en se reliant à la nature environnante, sera source de bien-être, en nous permettant de remettre en équilibre les systèmes ortho et parasympathiques. Autrement dit, il y aura relaxation psychologique, mais aussi, et c'est cela qu'il est important de bien comprendre, il y aura amélioration physiologique. Dans ce sens, cette marche dite « consciente » devient un facteur de « gestion du stress ».

Toutes les spécialités médicales, de l'orthopédie à la cardiologie, en passant par la psychologie et la neurologie, semblent pour une fois s'accorder sur un point : la marche offre d'indéniables bienfaits pour le maintien d'une bonne santé physiologique autant que psychologique de l'humain.

Les différents types de marche

La marche : exercice thérapeutique

Nous venons de le voir, la médecine nous encourage à marcher.

Bon nombre d'avantages physiologiques mais aussi psychologiques attendent le marcheur régulier.

Si la médecine occidentale insiste sur les aspects physiologiques bénéfiques, la médecine chinoise fait le lien avec ce qui habite véritablement l'individu et ce qui le relie à son essence.

Mais à ce stade de marche exécutée comme exercice « bon pour la santé », l'individu est essentiellement préoccupé de prévention, de performances physiques dans l'atteinte d'un but de conservation ou de récupération de sa santé...

La société ayant cloisonné les corps physique et psychique et encore plus le corps spirituel, bon nombre de marcheurs entreprennent cette activité prescrite par leur médecin ou leur cardiologue dans un souci de santé physique, et ils s'aperçoivent ensuite qu'elle leur est devenue comme une drogue.

Outre les bienfaits recherchés sur la tension, le poids, le rythme cardiaque ou sur la déprime, ils y trouvent un réel plaisir. Beaucoup ne l'analysent pas, mais tous le reconnaissent et le considèrent un peu comme une valeur ajoutée à une prescription médicale...

Certains, cependant, grâce à la pathologie qui les a immobilisés, découvriront, par cette remise en marche, un véritable chemin de croissance personnelle. Olivier, homme d'affaires comblé (extérieurement), mais totalement perdu intérieurement, dont le thérapeute avait exigé qu'il marche une heure tous les jours, a pu trouver sa véritable mission de vie et se remettre en marche dans sa propre vie !

Fernand 75 ans bronchiteux chronique, traité également pour la maladie de Parkinson et une dépression est venu au cabinet l'hiver 2009 lorsque l'épidémie de grippe annoncée terrorisa une bonne partie de la population. C'est son médecin de famille qui lui conseilla de chercher dans les médecines alternatives une solution à ses sur-infections permanentes des bronches : les antibiotiques n'étant plus efficaces depuis le temps qu'il en prenait. J'avais peu d'espoir de régler son problème, mais Fernand réagit très bien à la phytothérapie qui eut le mérite de l'aider à extérioriser ses sécrétions et, ainsi, à ne plus l'infecter. À ma grande surprise, il traversa l'hiver tant redouté sans souci respiratoire. Je l'encourageais à faire une marche tous les jours d'un quart d'heure à une demi-heure maximum, en plus de lui suggérer des Fleurs de Bach pour son moral. Ce monsieur, encouragé par ses progrès pulmonaires, suivit mes recommandations. Depuis, je le vois tous les trois ou quatre mois et l'encourage dans sa « remise en marche ». Je l'ai d'ailleurs vu ce mois de février 2012 : il marche une heure et demie le matin et une heure et demie le soir, les effets de la maladie de Parkinson se sont stabilisés pour un certain temps, il n'est plus en dépression, et le sourire de Fernand est le plus beau cadeau qu'il puisse faire à ses médecins et thérapeutes ! Si lui a pu le faire, combien après lui continueront ? Cet homme abbatu, craintif, souffrant s'est transformé… et son exemple sert à beaucoup d'autres.

Ce qu'un homme, un papillon, un singe acquiert quelque part sur la planète, sert la communauté tout entière des papillons, des singes, des hommes. Son souci de conserver la santé lui a apporté tellement plus.

S'il y a rencontre avec le « Soi » jungien, avec l'intériorité du patient, cela intervient toujours dans un deuxième temps et sans aucune quête spécifique et initiale du patient.

Va ! Va vers Toi-même... Va ! tu risques de Te trouver...

La marche comme activité touristique

Ou plutôt comme co-activité touristique. Le sujet déambule dans des lieux qu'il ne connaît pas à la recherche de sensations, d'images, de musiques inconnues. On « visite » en faisant des kilomètres, en se perdant dans des villes inconnues. C'est le plaisir de la découverte et on connaîtra d'autant mieux une ville qu'on y aura marché des heures durant.

Il est intéressant d'ailleurs de s'apercevoir que nous ne ramenons pas tous les mêmes souvenirs des mêmes lieux. Certains auront eu l'œil rivé à leur appareil photo pour « ramener » des images, des preuves, pour pouvoir dire : « On a fait Paris ou Barcelone ! » Y a-t-il véritablement découverte dans ces cas-là ? ou consommation ? On a marché pour quoi ? Pour amasser des images. On a marché, mais en pensant au retour, à ce qu'il faudra montrer aux amis, à la famille... qui, de toute façon, ne pourront pas ressentir ce que vous n'avez pas ressenti ! On marche en ayant l'esprit ailleurs, en n'étant absolument pas présent à ce que l'on voit. Le voyage se vit à travers l'appareil photo...

D'autres ramèneront une foule d'objets « couleur locale », mais TOTALEMENT « incasables » dans leur intérieur… Là aussi, voyage consommation…

C'est peut-être en ne ramenant rien qu'on en revient plus lourd, plus riche de sensations, d'échanges, si on s'est donné la peine (le plaisir devrait-on dire) d'aller, justement, vers le tout autre…

La marche comme activité touristique, si elle n'est pas consommation d'images ou de gadgets, pourra être une marche tournée vers l'Autre, celui qui ne parle pas ma langue ou qui n'a pas les mêmes habitudes de vie que moi. La marche du touriste est à privilégier comme mode de découverte d'un pays… Et de même qu'au musée il est vain, stupide et épuisant de vouloir « tout voir », lorsqu'on découvre un pays, mieux vaut privilégier une région que l'on aura plaisir à con-naître, c'est-à-dire « naître avec », ou, du moins, où l'on aura plaisir à vivre au rythme de ses habitants, que de vouloir « faire » tout le pays ! Car le pays, la région ne nous ont pas attendus pour se faire… Et nous ne faisons que passer comme un courant d'air qui déplace beaucoup de bruit et de fureur sans percevoir la moindre personnalité du lieu traversé.

La marche en tant que touriste est toute tournée vers l'extérieur de Soi, mais ce peut être un chemin vers le tout Autre, vers un autre humain qui me rapproche de mon humanité, dans une communion d'âmes. Comme lors de ce court séjour en Inde où j'allais visiter ma fille en poste là-bas, je savais qu'en huit jours, je ne connaîtrais rien de l'Inde, du moins pas grand-chose; le but du voyage n'était pas l'Inde, mais bien ma fille.

Le « voyage » a commencé à l'ambassade de Paris (j'habitais alors la France) pour obtenir mon visa. Munie des papiers administratifs adéquats, j'ai dû « patienter »... plus de six heures avant de passer devant un représentant administratif du consulat.

L'Inde, c'est aussi le non-temps, en tout cas, ce n'est pas le même temps que le temps occidental... Première impression de voyage : attendre, et, dans ces longues heures, commencer à accepter la différence sans jugement. Il n'était pas question de marche, mais bien d'attente qui s'est transformée en acceptation...

Au cours de ces huit jours passés à Poona, ma fille et ses amies m'ont emmenée faire une excursion à la campagne. Il s'agissait de marcher près de quatre heures dans une nature luxuriante et de grimper une montagne d'où la vue était, paraît-il, imprenable. Elle l'est, et je ne l'ai, en effet, jamais « prise », pour faire un jeu de mots facile, car je n'y suis jamais arrivée.

En effet, la fatigue du voyage, la chaleur et le souffle que j'avais court à l'époque, me firent faire une halte à mi-distance pour me reposer et admirer cette merveille qu'est la nature dans cette région avec ses arbres absolument fabuleux. Les filles continuèrent leur ascension et je décidai de rester là à savourer le paysage. Or, à quelques dizaines de mètres se trouvait, de l'autre côté de la route, un pauvre hère, devant son abri en tôle ondulée, qui vendait pour de maigres roupies aux touristes grimpant le chemin les quelques fruits qu'il avait étalés devant lui.

Il me fit signe d'approcher. J'y allai, et là, sans aucun langage verbal commun, il m'invita à manger. Il me proposa de partager son maigre repas en faisant un geste qui descendait du ciel vers lui, comme pour me signifier que cela lui avait été donné, puis il fit un deuxième geste qui allait de lui à moi, tout cela avec un merveilleux sourire édenté, pour me signifier la nécessité de partager !

L'Occidentale que je suis commença par refuser... mais Dieu merci l'humaine en moi arriva bien vite, et j'acceptai... J'ai mangé une nourriture totalement improbable pour moi, notamment sur le plan de l'hygiène (eau ayant séjourné dans une bassine, purée hyper épicée ayant séjourné au soleil aussi, etc.).

Cette marche m'avait amenée à un endroit superbe où un homme, me voyant seule pour le dîner, m'invita naturellement à partager le peu qu'il avait ! J'avais l'affreuse impression de manger son repas du soir, mais aussi la certitude qu'accepter était la moindre des courtoisies. Lorsque les filles sont redescendues, bien plus tard, nous sommes allées le saluer et j'ai essayé de le dédommager (c'était elles qui avaient les sous), mais j'ai très vite compris aussi qu'il eut été indécent d'insister.

C'est au détour de cette marche dans ce fabuleux pays qu'est l'Inde, que j'y ai découvert un peu de l'âme de ce pays.

Je ne connais pas l'Inde, mais j'ai bénéficié d'une hospitalité, d'une générosité, et d'une simplicité tellement bienfaisantes dans ce pays !

La marche du touriste ouvre sur l'Autre et cet Autre nous permet de retrouver en nous le dénominateur commun à tout homme. Est-il plus petit ou plus grand ce dénominateur commun

comme on l'apprend en arithmétique ? À force de kilomètres parcourus pour rapprocher les hommes, il finira bien par devenir le plus grand dénominateur commun de la dimension humaine!

La marche du touriste élargit l'horizon culturel, fait grandir... «Les voyages forment la jeunesse»... en apportant à celui qui la pratique une plus grande conscience de l'humain.

En restant à l'échelle humaine par sa lenteur, la marche, dans la découverte touristique d'un pays, permet à celui qui la pratique d'entrer en contact avec les gens, les odeurs, les images du pays.

On se souvient toujours de la première impression ressentie à la découverte à pied d'une ville ou d'un village inconnu.

Cela devient presque un luxe dans certaines façons de voyager actuellement...

Va ! va vers toi-même... au travers de l'autre !

« Marcher tout simplement pour atteindre le monde de la lenteur, le seul qui laisse le temps de sentir et de ressentir l'amour pour les êtres et les choses dans leur plus simple manifestation. »

Alvina Levesque, « Sur le chemin de gens ordinaires »,
Chronique du Monde, 2008.

La marche du randonneur

Ici, la marche est le but ! La marche, mais aussi le contact avec la nature. Besoin de s'oxygéner pour des citadins prisonniers dans les villes... Besoin de se dépasser en marchant plus loin, plus longtemps...

Besoin de communion avec la nature.

Le but n'est plus la santé ou la découverte du nouveau ; le but est la marche pour elle-même et pour la communion avec la nature.

On part en randonnée comme on part à l'aventure, car on sait qu'au détour du chemin, il y aura toujours une aventure, une rencontre, une découverte de la faune ou de la flore, ou de soi-même dans des circonstances inhabituelles, extrêmes !

La nécessité de se replonger dans la nature. Se souvenir que l'homme est ce pont entre Terre et Ciel, et que, comme les arbres, nos frondaisons touchent normalement le ciel...

Le rythme de vie citadin ou surexcités de nos existences nous pousse à sortir « prendre l'air » et faire une randonnée, petite ou grande. Le plaisir est le même.

Plaisir de la quête de reconnexion. Plaisir de se sentir au milieu du grand tout, plaisir d'appartenir au vivant qui nous entoure, que ce soit à la campagne, en montagne.

Le plaisir aussi d'éprouver son corps, de le pousser encore un peu plus loin, de se rendre compte que libre de ses repères habituels, il est capable de fonctionner de façon essentielle... Le débarrasser de l'inutile.

La randonnée oblige le marcheur à n'emporter que l'essentiel... Dans cette marche, il y a un souci d'épuration pour mieux se retrouver au sein des éléments.

Il y a un plaisir immédiat d'appropriation des lieux, de sensations physiques de l'environnement où le marcheur évolue.

La quête est visuelle, auditive, physiologique, mais aussi essentielle, car tous les randonneurs le savent, la beauté de la randonnée n'est pas tant dans les lieux traversés que dans « l'atmosphère » de cette randonnée, ou dans la rencontre qui surgit au détour de cette randonnée.

Cette rencontre peut être un ciel, une rivière, une biche encore plus étonnée que nous et qui ne bouge pas plus que nous... échange de regards... échanges encore...

Ce peut être un monument.

Ce peut être un arbre ! Il n'y a pas plus expressif qu'un arbre si on prend le temps de le regarder vraiment. Son allure générale, son orientation, ce qu'il exprime. Essayez, dans vos promenades, de considérer les arbres comme des êtres à part entière. Vous serez surpris de les entendre vous parler, et vous, de leur parler aussi. Cela ne peut se passer qu'au détour de randonnées.

Ce ne peut être qu'en marchant à la vitesse humaine que l'on peut avoir des rapports véritablement humains avec ce qui nous entoure !

Et je suis sûre qu'il n'y a pas que saint François d'Assise qui parlait aux arbres et aux oiseaux... Il suffit d'essayer et de le faire, le cœur ouvert, l'intuition allumée. Essayez ! faites-vous ce cadeau ! Cela guérit de tellement de prétentions d'humanoïdes qui nous étouffent !

Replacé au cœur de la nature, l'homme perd un peu, enfin (!), de ses prétentions sur les règnes animal et végétal ! Tout parle dans la nature. Il suffit d'écouter. C'est ce que permet la marche, à condition d'avoir les oreilles libres de tout appareillage moderne qui vous maintient en relation permanente avec le bruit incessant de la ruche sociale...

Réapprendre le silence... Ou plutôt le re-découvrir. C'est ce que nous permet la marche en nature, la marche du randonneur.

Revenir au silence qui permet de mettre de l'ordre dans le chaos intérieur.

En replaçant le randonneur à sa juste place dans l'univers, la randonnée lui permet de se débarrasser aussi, en plus du superflu matériel, de l'inutile qui pollue son ciel mental.

La marche en silence, la marche pour la marche seule, pour le plaisir de se nourrir d'images, de sensations, amène le promeneur

à épurer son mental, à revenir plus facilement à l'essentiel dans sa vie.

Les temps d'arrêt sont aussi importants dans ces randonnées, ces pauses où l'on sait que le but n'est pas atteint, mais où le corps réclame un arrêt. Le plaisir de savourer cette pause, la portion déjà faite et celle restant à parcourir, un peu suspendu entre deux désirs. La halte fait partie de la randonnée, la halte fait partie de la marche. Pause bienfaisante, qui nourrit le corps qui en a besoin, mais aussi l'esprit. On savoure quelque chose d'indicible qui tient à notre présence à ce moment précis, qui n'était pas là quelque temps auparavant et qui n'y sera plus bientôt... Un entre-deux... Un intemporel... Un instant arrêté... Comme l'espace entre deux respirations peut-être...

La pause dans la marche du randonneur a toujours son importance. Qu'elle soit prévue à l'avance à tel endroit pour telle ou telle raison, qu'elle soit improvisée, elle est capitale. Elle permet de refaire ses forces, pour aller encore plus loin, encore mieux dans l'exercice...

Pour aller encore plus à l'essentiel, ce silence au cœur de soi peut enfin avoir sa part d'existence, sa part d'Être.

Paradoxalement, marcher est l'activité qui nous apprend aussi le mieux à nous poser, en fait, à garder un rythme véritablement humain, ajusté à notre propre respiration... Et c'est cela qui est intéressant, se trouver au plus proche de notre souffle, le suivre, le respecter, car c'est en étant au plus proche du souffle que l'on pourra accéder à cette ouverture du cœur, de l'âme, entre inspiration et expiration, lieu d'où naît et où repart la vie... lieu de passage de cette vie-ci à l'autre... lieu d'où nous avons poussé notre premier cri ! Lieu que nous allons rejoindre dans nos séances de méditation. Mais la marche n'est-elle pas une forme de méditation active, qui oblige le marcheur à s'ajuster à son souffle... et donc à revenir dans son centre... à se poser... pour écouter battre son sang, sa vie, LA vie à l'intérieur de lui ? En retrouvant cela, il grandit dans son humanité et retrouve sa place au sein de la création.

Je ne peux m'empêcher d'évoquer l'excellent film de Colline Serreau, *Saint-Jacques... La Mecque*, où l'on fait le chemin de Saint-Jacques de Compostelle avec une fratrie de trois personnages que tout opposait au début et qui, au travers de toutes ces expériences vécues le long du trajet, se révèlent de la plus belle des façons.

C'est aussi Colline Serreau qui, dans son film culte *La Belle Verte*, fait dire au personnage principal : « Parce qu'on pense mieux après avoir gravi une montagne pendant deux heures. »

Marcher en nature pour le plaisir de la marche, peut-être, mais aussi pour le plaisir de se retrouver pleinement, entièrement, corps et âme.

55

La marche en randonnée peut se faire en compagnie, avec deux autres personnes ou plus, mais jamais en grand nombre. On marche avec la personne choisie.

Partir en randonnée avec une personne est une véritable déclaration d'amitié ! Il faut avoir un certain nombre de points communs pour cheminer plusieurs heures ensemble. Cheminer ensemble, c'est pouvoir rester en silence ensemble. On ne reste pas en silence avec n'importe qui !

C'est aussi partager des confidences, des anecdotes dans les temps de paroles que l'un et l'autre décideront d'un accord tacite.

Marcher avec quelqu'un, c'est accorder son pas sur l'autre, et je ne parle pas du pas mécanique qui pourra être différent parfois, mais du pas « moral ».

Marcher en randonnée avec quelqu'un, c'est respecter l'autre autant que soi.

C'est communier ensemble à un projet commun, celui de se retrouver, sans peser lourd sur le chemin de l'autre.

Marcher ensemble consolide des liens déjà existants, car allant dans la même direction géographique, les deux marcheurs vont aussi dans la même direction d'intériorité.

Il n'y a pas fusion, mais plutôt multiplication ou communion à une même quête.

Débarrassés du superflu, les échanges en sont plus intenses, plus vrais, plus forts. Il se dit des choses lors de ces marches qui ne se disent pas autour d'un repas ou d'une consultation de psychothérapie !

Marcher ensemble dans la quête d'un dépassement de soi...
et l'on se retrouve au plus profond de soi ; ce n'est pas tant un
dépassement qu'un approfondissement...

Marcher en randonnée pour se replacer au sein de l'univers,
pour se retrouver au sein de « l'uni-vers » ou, comme disait le
botaniste américain John Muir : « Je suis sorti simplement pour
me promener, et j'ai décidé de ne pas rentrer avant le coucher
du soleil, parce que j'ai découvert qu'en réalité, sortir signifie
rentrer. »

« Le voyage à pied seul permet un contact de tous les instants
avec la réalité naturelle, et même et surtout avec la réalité
intérieure. » Georges Duhamel

« Marcher dans la nature, c'est comme se trouver dans
une immense bibliothèque où chaque livre ne contiendrait
que des phrases essentielles. » Christian Bobin

Va, va vers toi-même. En te dépassant, tu ne fais
que creuser encore plus vers l'essentiel.

La marche en tant que rite : le pèlerinage

« Il arrive un moment, quand la fatigue est dépassée, où le rythme de l'homme s'intègre au rythme de la nature, de la terre, du ciel, où il se trouve en accord avec ces rythmes généraux, où ils le pénètrent, où il les pénètre. Il entre en état de réceptivité. Il devient un autre homme, il est en état de grâce. C'est une des raisons de ces pèlerinages antiques qui lançaient les philosophes grecs sur les routes initiatiques, les foules chrétiennes vers les tombes des saints, les compagnons dans leur périple du tour de France. »
Louis Charpentier

Lèkh-lèkhâ : «Sors, sors de chez toi, va-t'en de ton pays, de ta famille, de la maison de ton père, dans un pays que je te montrerai.»

C'est l'injonction que Dieu fait à Abraham dans l'Ancien Testament.

C'est aussi quelque peu l'appel qu'entend tout pèlerin qui décide de se mettre en route sur un chemin signifiant, Compostelle, La Mecque, ou un autre lieu déterminant de sa vie ou de sa culture.

Tout pèlerinage est au départ une pulsion, une quête, une urgence de partir. Quitter ses habitudes, dans lesquelles on ne fait que tourner en rond, avec ce sentiment de manquer d'air, d'avoir perdu le sens, le pourquoi de sa vie. Sortir, quitter l'enfermement dans lequel on se retrouve après des années de vécu social ou professionnel. Lorsque la personne se retrouve en «enfer», c'est-à-dire enfermée dans une vie qui a perdu son Orient, qui n'a plus de sens… L'homme éprouve le besoin de marcher parce que ses pensées sont trop à l'étroit ! Parce que son cœur ne bat plus pour «de vrai», pour de vraies raisons…

Ou...

Partir pour se relier à sa source spirituelle que l'on a perdue, ou qui s'impose comme une nécessité... Se relier à quelque chose de fort et d'unique qui nous habite. Partir sur un chemin d'idéaux qu'on a toujours laissés en attente et qui maintenant ressurgissent comme étant une étape de vie à accomplir.

Le pèlerin accomplit véritablement un rite. Comme lui, avant lui, d'autres hommes ont emprunté le même chemin signifiant, et comme lui, d'autres hommes font le même chemin en même temps que lui, à leur rythme, et d'autres le feront encore après lui.

Les pèlerins se retrouvent aux haltes, se saluent, font un bout de chemin ensemble... Rencontres uniques, éphémères par essence, mais là encore, rencontres marquantes en général.

Tous communient à la même source... N'est-ce pas celle de l'humain grandi, de l'humain dépouillé de son inutile personnage?

Tous se retrouvent frères, sans se connaître.

L'inutile a été déposé et comme il est intéressant de voir que ce qui constituait l'essentiel de la vie autrefois devient si peu signifiant sur les routes de pèlerinage... Et si, par hasard, on s'est encore un peu trop encombré, le corps fera ce qu'il faut pour nous obliger à lâcher du lest...

Parti avec un but à atteindre, une source à trouver, le pèlerin, en cheminant, se relie quotidiennement à cette étoile intérieure, s'en approche et surtout découvre petit à petit l'or enfoui sous les couches de sociabilisation, de peurs, d'habitudes, sous les couches de la « persona », de celle à qui l'on joue, sa vie durant...

Les masques tombent... et ils laissent apparaître du miracle, de la lumière....

Le pèlerin retrouve aussi sur ce chemin la signification du chemin, avec toutes les étapes qui sont connues d'avance, mais qui, cette fois, ne seront plus de l'ordre du connu, mais de l'ordre de l'expérimentation.

On a beau tout savoir sur les étapes, sur l'histoire attachée à chaque caillou du chemin, en accomplissant le pèlerinage, le pèlerin vit le chemin à son rythme, avec son corps, ses émotions et son climat propre qui donnera à ce chemin une couleur unique, la sienne.

C'est ce qui fait que le même chemin est fait des milliers de fois par des milliers de gens, mais avec toujours des vécus différents et des surprises toujours renouvelées.

Traditionnellement, dans un pèlerinage, on marche vers un but, vers un lieu. Le Gange, purifiant ceux qui s'y baignent, Compostelle et son étoile à retrouver tout au long du chemin, bien plus que la bénédiction de l'arrivée qui nous « lavera de nos paquets de souffrances », La Mecque qui nous garantit une accessibilité au paradis.

Ou, plus modestement, le lieu de vie ou de sépulture de tel ou tel personnage sacré ou profane... mais tellement signifiant pour celui qui est en marche !

Ou de façon encore plus épurée, le pèlerinage vers le Silence, la Nature. On marche dans un désert, on marche dans une forêt, par soif d'absolu.

Sans nom, sans visage, sans icône...

Ce n'est plus celui qui expie ses fautes en souffrant dans la poussière et la chaleur du chemin ; ce n'est plus celui qui essaie de racheter par une souffrance physique des souffrances morales ou politiques !

Ce n'est plus de l'autoflagellation, « prescrite » à une certaine époque, pour racheter un peuple, une ville, un individu !

Mais là encore, sous des allures frustes, ces grands pèlerinages, qui jetaient sur les routes des hommes en quête de paix, de protection divine, ont fait découvrir à ceux-là mêmes qui marchaient plus loin ou plus grand que le dogme...

Aujourd'hui, le pèlerin se met en route de lui-même, il n'obéit qu'à sa conscience, à sa vérité, et non plus à un roi ou autre monarque laïque ou religieux.

C'est la soif qui le met en route, la soif d'absolu, de recon-nexion àsx une source commune.

Le pèlerin est un homme qui a soif.

Au départ, le pèlerin se met en marche pour aller vers... pour atteindre un lieu précis chargé d'histoire et des prières et des énergies de tous ceux qui y sont passés, en plus de l'énergie de celui que l'on vient retrouver...

Pour atteindre un lieu sacré par nature, que ce soit les hom-mes qui l'aient identifié ainsi ou que la majesté du lieu l'impose — mont Fuji, désert ou autre...

Au départ... très vite le chemin deviendra une révélation. Que le pèlerin l'accomplisse pour lui-même ou pour une collecti-vité qu'il porte en lui, c'est le chemin qui initie l'homme à trouver ce qu'il est parti chercher...

C'est le chemin qui fait le pèlerin et non l'inverse.

C'est en marchant qu'il trouve un autre chemin, celui qui le mène à lui-même et qui a toujours été là...

Les œillères du quotidien l'empêchaient de le découvrir.

Parti vers un lieu lointain, vers un lieu sacré, parti pour le Gange, Compostelle, Jérusalem ou le mont Fuji, le pèlerin trouve l'Être qui l'habite et qui ne pouvait pas s'exprimer, emmuré tant par les trop nombreuses servitudes du mental et de l'ego, que par trop de peurs et de souffrances.

Le pèlerin est celui qui se remet en route, qui se réveille et sort de chez lui.

Le pèlerin est celui qui, parfois, ne sait pas pourquoi il est si urgent de partir, mais qui le découvre toujours en chemin.

Le pèlerin est celui qui prend conscience d'une façon ou d'une autre que ce qu'il est venu chercher, il le porte en lui.

C'est la découverte du « récit du pèlerin russe » qui s'en va sur les routes pour apprendre à prier, pour chercher les maîtres, qu'il va rencontrer, puis perdre, pour, « chemin faisant », trouver son propre maître intérieur...

Cet homme qui s'est mis en route marche aussi sur le « chemin sans chemin » dont parle Maître Eckhart.

Qu'il soit mystique et aille vers son Dieu, ou qu'il soit en quête de la Source qui abreuve sa vie, le pèlerin, au terme de son voyage, aura levé le secret qu'il porte en lui... Ce secret, ce mystère qui lui sera révélé... sera le sacré qu'il porte en lui et qu'il rencontrera toujours au détour du chemin...

Rien de bien grandiose, mais plutôt du subtil, de l'impalpable. Il restera aussi présent qu'il sera impalpable.

Tous ceux qui reviennent d'une telle marche rituelle racontent dans des mots et des expériences différentes l'intensité de leur reconnexion à quelque chose d'essentiel...

La nostalgie de ce qui a été reconnecté pendant ces jours et ces jours de marche... un peu comme si cette grâce vécue ne pouvait l'être qu'en chemin... quelque chose qu'on ne ramène pas, mais qu'on va retrouver en se remettant en marche.

Ce n'est pas de l'ordre de l'avoir, mais plutôt de l'être.

Et pourtant, rien n'est facile pendant ces jours et ces jours de marche. Que ce soit le climat – pluie, vent ou, au contraire, chaleur écrasante –, que ce soit le corps qui crie ses limites... rien n'est aisé et la douleur ou l'inconfort sont toujours plus ou moins présents... Et pourtant, cela n'a pas de réelle prise sur le pèlerin qui voit ses douleurs transcendées par les kilomètres parcourus et surtout par la légèreté et l'évidence qui se dévoilent et apaisent toutes les souffrances, les chagrins, les misères qu'il avait encore collés à ses semelles.

Si les plaintes sont là au moment des épreuves, elles ne pèsent jamais bien lourd dans le souvenir et le récit de celui qui est revenu de son pèlerinage... Un peu comme les douleurs de l'enfantement : certaines et précises lorsqu'elles ont lieu... instantanément oubliées lorsque l'enfant paraît ! Et c'est bien une sorte d'accouchement dont il s'agit dans un pèlerinage... Accouchement à Soi-même.

L'humain est ainsi fait que c'est dans le mouvement lent et régulier de la marche, dans le silence habité des présences de la nature qu'il peut enfin écouter cette petite voix intérieure qui lui donne les bonnes réponses aux milliers de questions qui assaillent son mental. D'ailleurs, le nombre des questions « importantes » diminue au rythme des kilomètres parcourus !

L'importance des choses prend une tout autre perspective après huit jours de marche... et après trois semaines...

La remise en marche pour le marcheur en quête de sens est toujours liée à un moment fort de sa vie, à un moment charnière. La maturité et le besoin de retrouver un autre souffle, le besoin de retrouver son Orient, son orientation, ce qui a été là il y a longtemps, mais que l'individu a perdu. Besoin de vérifier qu'il est encore vivant, ou plutôt qu'il y a encore du vivant, du rêve, du souffle en lui !

Maturité ou jeunesse aussi ! Jeunesse qui n'a pas reçu sa nourriture d'Être, mais qui a été gavée d'avoir, et qui, intuitivement, sait qu'il y a aussi autre chose à vivre ! Soif pourrait-on dire, soif de retrouvailles, soif de re-connaissance intérieure. Et comme « la valeur n'attend pas le nombre des années », cette soif se réveille à différents âges, mais survient toujours à un tournant de la vie : entre deux emplois, du temps qui soudain se libère, une plage libre apparaît, ou bien l'individu décide de la créer, car la soif est trop forte.

Parfois, c'est l'épreuve qui a usé le moral, les émotions ou le physique qui va mettre en route le pèlerin.

Après un drame qui vous a coupé les ailes — décès d'un être cher, accident, drame, maladie —, les épreuves qui, « si elles ne vous tuent pas vous rendent plus forts »... Sauf que devenir plus fort n'est vraiment plus à l'ordre du jour... Ce serait plutôt devenir plus « fluide » pour que tout glisse et ne fasse plus mal... pour aller voir si, au bout du chemin, il y a encore un peu de souffle, un quelque chose qui nous fait continuer...

Marie-Carmelle, après un grave accident où elle faillit perdre la vie, a passé cinq années à se reconstruire. Elle est partie avec Louis, son mari, marcher Compostelle, alors qu'elle était encore fragile, mais tellement sûre d'avoir réveillé en elle quelque chose de doux, de subtil qui émergeait tranquillement, lentement pendant sa reconstruction... Elle est partie avec la bénédiction de sa thérapeute qui était sûre qu'elle en reviendrait transformée...

Ils sont tous deux revenus plus riches, plus enluminés de ce voyage médicalement impensable... et pourtant « humainement » réalisé par l'amour, leur foi et l'encouragement d'une thérapeute !

Marie Carmelle s'est retrouvée et est revenue nourrie d'une lumière qui l'aide encore à cheminer ici dans la ville !

Va, va vers toi-même. Le sacré y est enfoui. Comme dans toute quête alchimique, l'or se trouve au cœur du plomb.

Il suffit de le faire « fondre » dans le bon creuset et avec les bons ingrédients dont le dénominateur commun est la pureté : pureté dans le sens de l'allègement de l'inutile, essence seule (essence qu'on peut s'amuser à entendre : ai sens).

5 | La marche est-elle un acte philosophique?...

« Ce n'est pas la lumière qui manque à nos regards,
c'est nos regards qui manquent de lumière. »
Gustave Thibon

C'est aussi cela qui met l'homme en marche, qui le pousse à sortir de chez lui.

Exercice physique et santé du corps... Si le corps est malade, arrêté dans son fonctionnement, n'est-ce pas que la Lumière ne passe plus ? Que l'énergie ne circule pas bien dans ce corps, selon les lois de la MTC ou la médecine quantique ?

Le temps ralentit dans la marche et redevient un temps humain, et non plus un temps pulvérisé, voire décalé, anarchique.

La lumière, l'énergie reprend sa circulation de façon fluide... et vient réparer ce qui était dans l'ombre, ce qui était arrêté.

Marcher pour se laver les yeux et la tête en découvrant d'autres villes, d'autres pays. C'est aussi par « manque de lumière » que l'homme a besoin de voyager. Il ne voit plus la lumière dans sa vie, dans sa ville. Besoin d'aller rencontrer l'autre, le tout autre qui permettra de lui laver les yeux et la tête... qui lui purifiera le regard à condition qu'il se laisse faire, qu'il se laisse surprendre.

À mesure qu'il voit du pays, l'homme devient plus riche de tout ce qu'il découvre et ses yeux s'ouvrent ; ils voient plus loin, différemment, autrement, d'autres choses... et alors il peut voir à nouveau d'un regard lavé, épuré ce qui l'entoure dans son quotidien.

C'est cette même vision embrumée et polluée par nos vies surchargées, par notre mental encombré qui pousse aussi l'homme à partir marcher en nature, au rythme lent, ou plutôt au rythme humain de son pas.

Si la lenteur et la fatigue inhérentes à la marche aux siècles derniers ont poussé l'homme à résoudre ce problème par les progrès techniques, il est aussi en train de se rendre compte que la vitesse, l'instantanéité poussent aussi à l'épuiser, voire à l'enfermer dans un sentiment d'urgence. Gustave Thibon, philosophe de ce XXᵉ siècle qu'il a traversé presque de part en part (1903-2001), disait : « *Amer symptôme : l'accélération continue est le propre des chutes plutôt que des ascensions* » (*L'échelle de Jacob*, Boréal express, 1984, p. 141).

La marche permet aussi d'aller plus loin qu'une conception visuelle, photographique du paysage ; le fait d'avoir marché plusieurs heures dans un espace le rend plus intense.

« On y voit plus clair », dit-on souvent à propos des bénéfices ressentis après une randonnée. On y voit plus clair dans nos cerveaux embrouillés… On a pu prendre du champ par rapport aux soucis. Il y a eu allègement des « problèmes ».

Se remettre en marche chaque matin purifie le regard.

En marchant, tout redevient possible et tout se replace dans une réelle perspective. On retrouve aussi la notion d'horizon, de volume.

Tout est plat dans nos vies actuelles, infini, mais plat : écran, réseau, échanges, malheureusement aussi, politiquement correct... tout est linéaire !

Tout est connecté, mais rien n'est présent !

Dans la marche, la remise en marche, il y a de la présence, de l'être qui s'exprime. On marche de tout son être, on marche avec nos ombres et notre lumière, avec nos mémoires et nos rêves...

Tout cela s'organise tellement mieux dans ce flux régulier qui place tout le corps dans une action douce et continue, au travers de tous les climats, intérieurs et extérieurs, traversés...

C'est bien cette quête de lumière qui met le pèlerin en route.

Marche rituelle vers un lieu, vers un sens, plus exactement. Un sens qui redonne un axe à la vie, qui l'oriente vers la Lumière.

En marchant, on retrouve la notion de volume, de proximité ou d'éloignement, de crêtes, de vallons, de vues dégagées ou bouchées...

Tout reprend un sens !

La fragilité et la force du vivant deviennent palpables.

Et vivants sont les arbres, les montagnes, les ruisseaux traversés, les animaux rencontrés, les humains enfin croisés aussi sur sa route.

La marche rituelle accomplie par le pèlerin est une marche qui rend humble. On peut avoir de grands idéaux en partant en chemin, on a à composer avec les aléas de la route qui sont autant d'épreuves initiatiques à traverser. C'est en cela que l'on dit que c'est le chemin qui fait le randonneur, le marcheur, le pèlerin et non l'inverse.

Se remettre en marche, c'est retrouver les creux et les bosses des chemins, aux sens propre et figuré. C'est sur cette Terre qui nous porte que nous pouvons aussi expérimenter notre vraie grandeur.

Quand tout est linéaire, cadré, enfermé, lisse, comment pouvons-nous nous ouvrir à notre véritable dimension humaine ?...

En nous faisant évoluer dans des espaces aseptisés, sans ornières, sans surprise, comment pouvons-nous nous apercevoir que nous avons des ailes à déployer ? Comment retrouver le merveilleux de l'homme, l'insoupçonné ? Ce qui ne se dévoile que dans l'inattendu, le non-connu ? Se remettre en marche, c'est aussi prendre des risques ; risque d'inconnu surtout !

Où le chemin me conduira-t-il, quels abandons devrai-je opérer pour que le chemin s'accomplisse ?

Car dans toute remise en marche, il y a abandon – de paquets trop lourds, de mémoires, de souffrances tellement attachées à nos semelles qu'elles en sont familières. Abandon d'illusions, de fausses croyances, de pseudo-potentiels qui fondent comme neige au soleil.

Se remettre en marche, c'est la vie qui nous pousse à aller vers l'inconnu qui appelle. Comme l'espérance de l'oasis pour le marcheur au désert.

C'est puiser en soi des ressources insoupçonnées pour continuer un pas de plus... Et c'est bien souvent la maladie qui nous fait faire ce chemin comme tant de patients me l'ont appris.

Souvent, la flamme s'est éteinte dans des vies trop bien réglées, trop bien huilées. Certains vont au désert pour y retrouver leur véritable dimension, pour se rassurer : y a-t-il encore de la Vie en eux ?

L'essentiel est-il bien présent ?

Au désert, l'inutile n'a pas sa place, ne reste que l'essentiel qui anime le macheur...

Au désert, toutes les prétentions et les suffisances tombent, tous les superflus n'ont plus de place.

Au désert, l'homme peut être rassuré : il est encore vivant...

Se remettre en marche pour dépasser quelque chose qui s'est arrêté : le corps, les émotions... quelque chose qui n'est plus animé.

Comme si le mouvement, réel, celui du corps, et aussi celui de l'esprit pouvait enfin faire entrer un peu de souffle dans ces vies asphyxiées par la maladie ou le chagrin.

Oser se remettre en marche et découvrir X kilomètres plus loin ou X abandons plus loin qu'il y a encore des possibles, des avenues à découvrir. Qu'il existe un deuxième souffle, une deuxième chance... un arc-en-ciel après la pluie...

Il n'y a pas de lieux saints, mais c'est notre façon
de marcher sur la terre qui la rend sacrée.
C'est ce qu'enseigne la tradition amérindienne.

En marchant, je reprends contact avec cette réalité : ma responsabilité face à la planète et ma juste place ainsi que l'enseigne la MTC : placé entre Ciel et Terre, pont, jonction qui a à grandir entre ces deux espaces... En marchant, le souci d'écologie est naturel, je suis le fils ou la fille du vent, peut-être, mais avant tout de la terre que je foule lentement, longuement, et qui parle une langue végétale différente selon les paysages...

Marcher est un acte sacré quand il est fait en conscience.

C'est la conscience de l'acte qui le rend sacré.

Quel que soit l'acte, bien sûr, mais marcher est en soi un recentrage de tout l'être qui retrouve ses grandeurs et ses limites. Le corps, après des heures de marche, a ouvert les filets de l'esprit, et une autre dimension, une autre vastitude est perceptible. L'homme redevient ce pont entre Terre et Ciel, juste cela... mais Tout Cela !

En ce sens, la marche est aussi une philosophie, et parfois une philosophie sacrée :

« J'ai trouvé Dieu dans les flaques d'eau, dans le parfum du chèvrefeuille, dans la pureté de certains livres et même chez des athées. Je ne l'ai presque jamais trouvé chez ceux dont le métier est d'en parler. » Christian Bobin

Le Tao

Le Tao en philosophie chinoise a plusieurs signifiants, mais un des principaux signifiants est la voie, le chemin. Le livre des versets enseignés par Lao Tseu se nomme le Tao Te King et se traduit par le livre de la voie, de la vertu.

On dit au verset 35 : « Celui qui suit le tao peut parcourir le monde en toute quiétude. Il trouvera partout paix, équilibre, sécurité. Il avance impassible dans la sérénité… »

À la fois chemin et discipline de vie… Les deux idéaux sont dans le même mot… Le mouvement lent et régulier d'où naît chaque chose et où vient mourir chaque chose, l'impermanence des choses englouties et renaissantes du mouvement est à la base de cette philosophie.

La marche en est une illustration. On ne repasse pas deux fois dans le même fleuve, le chemin comme la vie se déroule sous nos pas… Et c'est notre façon de marcher dessus, notre façon de nous comporter sur l'un comme dans l'autre qui fait le voyage, qui fait la vie, qui fait l'humain.

> *Marcher est une philosophie de vie dans le sens*
> *où elle nous rend meilleur, nous fait grandir dans notre*
> *humanité… ce qu'est censé faire la philosophie : nous*
> *ouvrir à la conscience de qui nous sommes vraiment…*

C'est en marchant longtemps que l'on constate que ce qui change, ce n'est pas tant le paysage, mais la façon de regarder. Si je ne suis jamais sorti de mon village ni concrètement ni par la littérature et l'imaginaire, je ne saurai regarder que d'une façon, celle de mon village... Mais le monde est vaste... et vastes sont les coutumes et les rites. C'est un peu comme dire qu'il n'existe qu'une seule musique, celle que je connais.

Marcher, c'est aussi élargir ma vision et donc ma conscience du monde. En cela aussi, c'est une philosophie...

Alexandra David-Néel (1868-1969), grande exploratrice, grande marcheuse, une femme qui refusa l'enfermement sous toutes ses formes et qui n'a eu d'intérêt que de connaître l'humain, ses philosophies, ses religions, ses lieux de vie. Sa soif de l'humain l'a conduite à travers le monde et rien ne sut l'arrêter... Elle est présentée comme exploratrice, écrivaine et une des premières femmes à avoir fait connaître la philosophie tibétaine en Occident au début du xxe siècle.

Rebelle, érudite, rien ne put l'arrêter dans sa soif de voyages et elle fit renouveler son passeport à 100 ans et demi, six mois avant son décès...

Entendons-la, quand elle nous dit :

« Choisissez une étoile, ne la quittez pas des yeux. Elle vous fera avancer loin, sans fatigue et sans peine. »

89

Alerte dans sa tête jusqu'à cent ans passés, l'esprit ouvert, depuis sa jeunesse, aux différents courants de pensée, elle a parcouru le monde le plus souvent à pied et ne s'en est jamais lassée...

Choisir une étoile, peut-être pour se diriger, mais aussi choisir un but, un objectif de vie, ne pas le quitter des yeux, ne pas le perdre de vue au-dedans de son âme : qu'est-ce qui m'anime ? C'est cela qui me mènera sur le chemin qui est mien, et me fera traverser les difficultés.

Ce qui m'anime, apprendre à reconnaître ce qui fait de moi un être unique, ce qui est mon essence. « Trouver son étoile, ne pas la quitter des yeux, et elle me fera avancer loin... sans fatigue et sans effort. » Pas tout à fait d'accord avec le « sans effort », mais, oui, elle me fera aller loin, et me rendra heureuse.

C'est en suivant ce qui m'anime que je me mets en route, aux sens propre et figuré. Suivre son étoile et cheminer, ne pas s'écarter « de son plus proche désir », selon Maître Eckhart. Être à l'écoute de la flamme qui anime son être ; c'est cela qui nous fera faire du chemin... sur les routes et dans la vie... et cela peut nous amener, en effet, très loin !

C'est l'histoire de beaucoup de vocations, mais aussi l'histoire d'individus très ordinaires qui, après avoir complété leur formation professionnelle et s'être rendu compte qu'ils étouffaient dans leur profession, ont eu le courage de tout remettre en question et de repartir dans une autre voie : celle qui leur tenait vraiment à cœur.

C'est aussi le courage de tout lâcher pendant un an, pour aller faire le tour du monde en bateau avec sa famille, ou l'aplomb nécessaire pour laisser une profession, une vie rangée et sécuritaire pour aller vivre d'autres expériences professionnelles à un âge où certains préparent leur retraite...

Repartir. Sœur Emmanuelle qui, jusqu'à 60 ans, a servi fidèlement dans sa congrégation, mais en piaffant, car elle n'obtenait pas les missions auxquelles elle aspirait, est allée voir sa supérieure et lui a dit : « Maintenant que j'arrive à l'âge de la retraite, je vais pouvoir aller où mon cœur me porte (vers les plus pauvres) et vous ne pourrez plus m'en empêcher en me donnant tel ou tel poste : c'est l'heure de la retraite... »

Et c'est à 60 ans que sœur Emmanuelle a commencé sa véritable mission de vie qu'elle a poursuivie jusqu'à près de 100 ans ! En mettant sur pied les communautés d'Emmaüs au Caire !

Apparemment, suivre son étoile et oser se remettre en marche, même à l'âge de la retraite, redonne une belle énergie, car sœur Emmanuelle s'est éteinte 15 jours avant son centième anniversaire... Pied de nez qu'elle fit aux journalistes et à son entourage qui tenaient absolument à fêter « nationalement » son centième anniversaire !

Ne faudrait-il pas oser nous remettre en marche à cet âge de la retraite pour faire quelque chose de vivant de ce temps plus libre qui arrive dans la vie ? C'est d'ailleurs ce que font beaucoup de personnes à cette période : reprise d'études, voyages, etc.

C'est une façon de mettre de la vie dans une période où la société met en retrait des gens qui ont encore beaucoup de potentiel en eux... et ce talent qui sommeille en chacun a besoin de s'exprimer pour le bien-être de tous !

Se remettre en marche, c'est, comme nous dit Alexandra David-Néel, choisir une étoile, ne pas la quitter des yeux... et nous laisser conduire. Si cela n'a pu être fait à une étape de votre vie, ne laissez pas passer la prochaine étape...

La vie est généreuse. Elle nous donne toujours plusieurs chances de développer cette conscience de l'être qui est en nous !

Se remettre en marche, c'est aussi contacter une présence qui est là depuis toujours et que la vie tumultueuse du quotidien étouffe.

Marcher en présence, c'est aussi se reconnaître habité, c'est se reconnaître à la fois dans notre grandeur et dans notre fragilité.

C'est en marchant sur les longs chemins de pèlerinage ou dans la nature que l'on retrouve cette présence qui nous habite et que nous avions perdue, qui avait déserté notre cœur.

96 Car marcher en quête de... c'est marcher en quête de présence.

Présence à son Dieu, présence à la Terre sur laquelle j'avance et je me révèle... comme une fleur qui fanera, je serai modelée, égratignée par le chemin, mais c'est ainsi que je récolterai le fruit du voyage.

Marcher en présence, de kilomètre en kilomètre, en silence, en l'absence de bavardage inutile, ou d'informations inutiles, rend la parole plus juste, plus vraie, plus dense. On se parle vraiment.

Présence à soi-même tout autant que présence à l'autre.

Cette présence retrouvée au cours du chemin est la quête initiale, véritable du voyage. Et cette quête est bien une lumière qui manque à nos yeux et qui nous sera révélée par notre « remise en marche ».

Lumière extérieure avec ses levers et couchers de soleil toujours aussi magiques pour celui qui se donne le plaisir de les contempler, mais au-delà de cette lumière extérieure qui nous lave, la marche du pèlerin le ramène toujours vers cette lumière intérieure qu'il a perdue à un moment de sa vie.

Quand chaque matin, il est plus dur ou plus inutile de se lever, de recommencer, il devient urgent de pouvoir se mettre en marche.

C'est ce que font certains sur les routes « sacrées » de ce monde. Il y a urgence à retrouver la source qui étanchera cette soif de sens. Soif d'absolu, une soif qu'aucune eau ou nourriture terrestre n'a pu assouvir.

Et cela devient une délivrance d'entamer le voyage, car rester enfermé dans sa douleur... c'est l'enfer !

D'autres entament le pèlerinage dans des conditions plus douces, mais tout aussi urgentes, avec la nécessité, on l'a vu, de trouver un sens, de retrouver l'être perdu sous l'avoir. On part parce que l'on sait qu'il y a quelque chose qui nous sera révélé... Et ce quelque chose permettra de continuer la route de la vie, une fois revenu.

◈　◈　◈　◈　◈　◈　◈　◈　◈　◈　◈　◈　◈

6 | Se remettre en marche autrement

« Il y en a qui ont le cœur si vaste qu'ils sont toujours en voyage. » Jacques Brel

V a, va vers toi-même. La marche est une étape initiatique pour l'humain. Ses premiers pas sont attendus comme une étape cruciale de son développement. Son premier pas sur la Lune a été aussi une étape cruciale dans l'avancement des connaissances de notre monde et des mondes hors de notre atmosphère... La marche reste un élément fondamental dans les « possibles » à découvrir de l'humain. Certains, dont le corps bloque, dont le corps a décidé de ralentir ou de s'arrêter un jour, m'ont appris que se remettre en marche va bien plus loin qu'enfiler ses chaussures de marche et sortir.

On peut marcher dans sa tête également et sortir des sentiers battus, sans sortir de chez soi.

S'ouvrir au monde par la connaissance, par l'imaginaire ou par l'art reste toujours une prodigieuse ouverture.

« Va, va vers toi-même » est avant tout un commandement à ne pas rester arrêté.

Ne pas rester arrêté dans ses peurs, dans ses connaissances, rester ouvert au monde.

Un commandement à rester dans l'ouvert.

Il en est ainsi de certains poètes, écrivains, citoyens, qui font plus de mille lieux dans leur tête sans jamais dépasser les frontières de leur ville.

Se remettre en marche, c'est repartir après la chute, le drame, le bouleversement, quand la vie a été trop rude, trop dure. Il y a deux choix : se laisser couler ou continuer à mettre un pas devant l'autre, ce qu'exprimait cet acteur de théâtre à une journaliste qui lui demandait comment il pouvait remonter sur scène deux ans après le décès brutal et violent de sa fille.

Il aurait pu couler, certes, mais quelque chose en lui l'a fait avancer : un pas de plus, un petit pas de plus chaque jour... Ces gens qui ont été laminés, ravagés par le chagrin savent très bien que ce qui se passe alors les dépasse et que c'est bien cette présence au cœur du corps qui est restée allumée. Qu'on l'appelle foi ou autrement, il y a une graine d'espérance... une lueur qui fait avancer... qui fait percevoir tout d'un coup, après des nuits et des nuits d'obscurité, un pan de ciel bleu qu'on n'attendait plus.

La lumière a traversé les ténèbres...

Se remettre en marche après un drame, après une maladie qui a désarmé tout le personnage qui existait... se remettre en marche comme ces patients qui ont frôlé la mort après un infarctus. Tous disent qu'ils ne peuvent plus vivre comme avant, quand on est arrêté brutalement, drastiquement, douloureusement... Il faut des mois, voire des années pour remettre un pied devant l'autre ; mais alors, on ne le remet pas dans les mêmes chemins... Quelque chose d'autre s'est révélé, et on en revient avec une perception plus précise de cette essence qui nous habite.

Va, va vers toi-même… Certains ont été plongés, propulsés violemment dans les drames et les souffrances, et croyant se perdre ou se noyer, ont vu la Vie l'emporter sur le drame, la souffrance… ont vu une éclaircie puis une voie tout autre s'ouvrir devant eux.

J'en connais qui courent régulièrement toutes les semaines sur le même parcours, sur le même itinéraire et qui ont peut-être totalisé au podomètre des milliers de kilomètres, mais qui, dans leur tête, n'ont pas dépassé un pâté de maisons, et dans leur vie, n'ont pas fait entrer beaucoup d'air, enfermés dans leurs certitudes…

Mais je connais aussi Isa qui, bloquée par une maladie dégénérative, continue de marcher, maladroitement, mais continue son activité professionnelle en refusant de se laisser enfermer par un pronostic officiel sinistre et qui, du fait de son obstination à mettre un pied devant l'autre, est toujours debout. Isa n'a pas arrêté de marcher et reste ouverte aux possibles de sa vie.

Parce qu'une pathologie auto-immune l'a empêché brutalement de courir, de danser et de marcher comme tous les jeunes de son âge, 20 ans, parce que des complications multiples et variées lui ont fait côtoyer l'enfer, et que de nombreuses fois, l'idée d'en finir lui est venue, parce que la douleur, l'injustice, la rage, la peine ont essayé de le réduire à néant, Phil a réussi – avec l'aide de tous ses soignants, ses amis et l'amour autour de lui, mais surtout avec cette conviction qui lui appartient –, a réussi à devenir champion dans un sport qu'il pratiquait auparavant sur ses deux jambes, le tennis ; et qu'il pratique maintenant en fauteuil roulant !

Quand les kinésithérapeutes ont commencé à lui faire pratiquer des exercices pour lui permettre de s'adapter au fauteuil roulant, en développant les muscles qui répondaient à ses efforts, Phil a pu se remettre à pédaler.

C'est à ce moment qu'outre la joie de bouger, il a senti quelque chose qui s'ouvrait au creux de lui-même. Quelque chose qui repartait.

Ses jambes ne peuvent plus fonctionner, mais ses bras pédaleront sur un vélo à mains et pourront l'emmener ailleurs, certes, mais ouvrir ! OUVRIR quelque chose qui s'était brutalement refermé. À 20 ans, Phil a été arrêté pendant deux longues années, mais à 30 ans, aujourd'hui, il participe aux championnats

pour sportifs en fauteuil roulant dans le monde entier... et si, certains jours, rien n'est simple pour lui, il s'est bien remis en marche dans sa nouvelle vie !

Lucie, que la médecine a arrêtée dans ses mouvements par un diagnostic de sclérose en plaques, a repris le dessus par l'espérance qui est venue la nourrir à un moment dans sa vie. Outillée par la médecine classique, les médecines complémentaires et la lumière rallumée dans ses yeux, elle a repris ses cours de professeure de français où elle se réalise, apporte aussi autre chose à ses élèves et reçoit encore plus !

Ce qui remet en marche, c'est la Lumière qui se rallume, par une lecture, par un ami, par la petite voie intérieure qui crie fort... la lumière... suivre l'étoile...

Je sais bien que cette étoile est intérieure, car c'est bien elle que je vois briller dans les yeux de mes patients (Fernand, Isa, Phil, Lucie, Ginette et bien d'autres encore) qui m'ont appris comment se remettre en marche, lorsque le corps est lent ou lourd à suivre. Certains ont le cœur si vaste, qu'ils sont toujours en voyage : **le cœur ouvert et l'imaginaire aussi.**

Qu'y a-t-il derrière cette porte fermée, derrière ce tableau, derrière ce paysage, derrière cet enseignement ?

Ne pas avoir l'esprit collectionneur, ne pas entasser des connaissances ou des savoirs, sans les faire vivre, sans mettre de l'air dedans, sans aller voir le contraire, le tout autre.

> *« L'imagination est plus importante que la connaissance :*
> *la connaissance est limitée, alors que l'imagination englobe*
> *le monde entier, stimule le progrès, suscite l'évolution. »*
> *Albert Einstein*

La création, en peinture, en littérature, en architecture, en musique, c'est chevaucher des terrains inconnus ; en science aussi ! Galilée est allé très très loin dans son observatoire !

Aller à contresens, ne pas avoir peur de l'impossible : « Ils ne savaient pas que c'était impossible, alors ils l'ont fait. »

Imaginer, ouvrir... toujours ouvrir, ne pas rester arrêté.

Léonard de Vinci avait imaginé l'ancêtre de l'avion, l'avait dessiné... au XVIe siècle ! Peintre de génie, ce qui lui procurait encore plus de plaisir que la peinture était d'inventer des mécanismes totalement inconnus et de créer l'impossible...

Ce fut l'un des premiers à inventer les automates et robots avec moult poulies et systèmes de cordages.

C'est lui qui disait aussi : « Faites que votre tableau soit toujours une ouverture au monde ! »

Va, va vers toi-même. C'est une injonction à se découvrir.

Quel est ton talent ? Que peux-tu faire avec ce qui t'a été donné... ou enlevé pour certains ?

C'est ce que nous aurons fait de nos talents qui fera de nous un être véritablement réalisé...

N'est-ce pas cela qu'il faudrait enseigner dans nos écoles à nos enfants ?

Va, va vers toi-même... Extirpe du fond de tes tripes ce qui fait de toi un être unique, original, génial... Ce qui fait qu'ainsi tu participes pleinement à la marche de l'humanité. Nous avons tous des pas et des pas à faire dans cette grande marche qui fait de « l'humanoïde », un Humain.

Pour certains, ce sont de grands pas, de grandes marches, de grandes découvertes... Pour d'autres, ce seront de grandes ouvertures du cœur, et des idées, un grand rai de lumière qui aura balayé la douleur, la maladie, la souffrance. Cette transcendance de nos limitations fera parcourir des kilomètres sur route ou des kilomètres dans la tête et dans le cœur.

C'est ainsi que l'humain se met en marche vers sa divinité.

La sienne, celle qui est sise au cœur de ses cellules et qui ne s'exprime que dans le silence, le miracle de l'ouverture du cœur ! Cette ouverture peut prendre de multiples formes. La remise en mouvement n'ayant par contre que ce but ultime et essentiel : l'ouverture à Soi-même, à sa grandeur d'Être, enfin !

L'essentiel est ce mouvement entretenu, comme un feu jamais éteint et qui est le garant de notre état de vivant !

Combien de gens sont déjà morts durant leur vie terrestre et ne le savent pas ? Enfermés dans leurs certitudes et leurs peurs, ils sont reconnaissables à cette odeur de renfermé qui transpire de leurs propos et par leurs yeux ouverts, certes, mais terriblement éteints sur leur monde fini, connu, rabâché aussi, fermé.

Quelle souffrance ! Quelle asphyxie !

Je connais des morts plus présents que certains humains « importants », trop sérieux pour laisser entrer un filet d'air, un filet d'humour (d'amour ?) dans leur vie trop « sérieuse »... Nous en connaissons tous...

À force de sérieux et d'enfermement, ils sont allés très loin dans leur carrière... et se sont TOTALEMENT perdus de vue en chemin...

Ils marchent « officiellement », mais en rond ou au pas... et n'arrivent jamais nulle part, sinon en haut d'un piedestal qui un jour ou l'autre s'effondre car il repose sur du vide, du vernis ou du passager...

Être de passage

L'homme qui marche dans sa tête et/ou avec ses jambes sait qu'il est passant, et sait aussi que plus son bagage est léger, plus il ira loin; certains ayant même perdu tout leur bagage se sont retrouvés tellement loin et tellement remodelés à l'essentiel, qu'ils continuent de passer à travers la vie, légers, et tellement emplis de lumière et de douceur.

À la journaliste qui demandait à Cocteau ce qu'il emporterait de sa bibliothèque si le feu prenait dans sa maison, l'écrivain a répondu:

« Le feu!... »

Essayer d'être passant dans sa vie, c'est la vivre pleinement, c'est savoir apprécier l'instant présent comme unique, et aller vers les autres avec la même fluidité. C'est rendre grâce de ce qui nous est proposé de vivre, car en restant dans l'ouvert, on sait que tout est impermanent et se renouvelle, se transforme.

C'est le grand enseignement du Tao: le chemin, la voie, la fluidité. Il y a là un mystère qui nourrit l'homme sans qu'il en ait pleinement conscience la plupart du temps.

La vie est fluidité... Plus je laisse aller, plus je laisse être.

Plus je laisse être ce qui est, plus la vie m'enseigne et me avancer.

Plus je bloque avec le mental, ce petit pouvoir qui est ou avec les élucubrations intellectuelles qui détournent le des rivières ou le cours des peuples, plus le soulèvement, l nami sera violent ; celui des rivières comme celui des indivi

La fluidité reprend toujours le dessus. Vouloir la co est aussi naïf que l'enfant qui veut faire entrer la mer dans qu'il vient de faire dans le sable... Aussi naïf, mais tellem dangereux.

Va, va vers toi-même, c'est cette injonction don se souvenir quand la vie nous arrête, nous enferme, no nous gonfle de vide...

> *« Il y a une étoile mise dans le ciel pour chacun de nou*
> *assez éloignée pour que nos erreurs ne viennent pas la*
> Christian Bobin, Ressusciter

Se remettre en marche vers l'inaccessible étoile de Brel...

Rêver un impossible rêve
Porter le chagrin des départs
Brûler d'une impossible fièvre
Partir où personne ne part

Aimer jusqu'à la déchirure
Aimer, même trop, même mal,
Tenter, sans force et sans armure,
D'atteindre l'inaccessible étoile.

Telle est ma quête,
Suivre l'étoile
Peu m'importent mes chances
Peu m'importe le temps
Ou ma désespérance
Et puis lutter toujours
Sans question ni repos
Se damner
Pour l'or d'un mot d'Amour
Je ne sais si je serai ce héros
Mais mon cœur serait tranquille

Et les villes s'éclabousseraient de bleu
Parce qu'un malheureux

Brûle encore, bien qu'ayant tout brûlé
Brûle encore, même trop, même mal

Pour atteindre à s'en écarteler

Pour atteindre l'inaccessible étoile !

« *La quête* » de Jacques Brel
dans *L'homme de la Mancha*

◈ ◈ ◈ ◈ ◈ ◈ ◈ ◈ ◈ ◈ ◈ ◈ ◈ ◈

7 | Conclusion

« Fais du bien à ton corps, pour que ton âme
ait envie d'y rester. » Proverbe amérindien

Alors oui, s'il y a un temps nécessaire pour la méditation et la contemplation (*Voyage en pays d'intériorité*) dans nos vies, pour notre santé tant physique que mentale, il est important aussi d'entendre l'appel :

Va ! Va vers Toi-même

N'aie pas peur ! Fais confiance à l'étoile !

Marche, dans ta tête ou dans ton corps.

Marche pour aller retrouver cette profondeur et cette paix, cette source commune où s'abreuvent tous tes frères, cette source cachée au fond de toi et qui te fait grandir, passant de « l'humanoïde » à l'Humain.

Va, va, marche, car en faisant du bien à ton corps, à cette matière qui est tienne et qui est bonne quel que soit son état et quelle que soit ton appréciation à son égard, en mettant de la fluidité dans ton corps, tu allèges ton esprit et ton âme et approches ainsi de ta vraie grandeur.

Montréal, février 2012

Crédits photographiques

Page 7 : © Dennis Donohue/Shutterstock ; page 8 : © Tischenko Irina/Shutterstock ; page 11 : © Haibo Bi/iStockphoto ; page 13 : © Mikhail Markovskiy/Shutterstock ; page 14 : © Dan Briski/Shutterstock ; page 16 : © Yuriy Kulyk/Shutterstock ; page 19 : © Oksix/Shutterstock ; page 22 : © Andreiuc88/Shutterstock ; page 24 : © Llaszlo/Shutterstock ; page 25 : © Serts/iStockphoto ; page 29 : © Cam/Shutterstock ; page 32 : © SergeyIT/Shutterstock ; page 35 : © Blazej Lyjak/iStockphoto ; page 38 : © Andreiuc88/Shutterstock ; page 41 : © Dudarev Mikhail/Shutterstock ; page 43 : © Image Focus/Shutterstock ;page 45 : © Anatoli Styf/Shutterstock ; page 47 : © Dan Briski/Shutterstock ; page 51 : © Nikada/iStockphoto ; page 52 : © Jessica & Paul Jones ; page 54 : © Eric Naud/iStockphoto ; page 55 : © PHB.cz (Richard Semik)/Shutterstock ; page 56 : © Bepsy/Shutterstock ; page 58 : © Maxim Petrichuk/Shutterstock ; page 60 : © José Luis Gutiérrez/iStockphoto ; page 63 : © Bartosz Turek/iStockphoto ; page 67 : © Image Focus/Shutterstock ; page 69 : © Hi15/Shutterstock ; page 70 : © Volodymyr Goinyk/Shutterstock ; page 73 : © Gilles Barattini/Shutterstock ; page 74 : © Pichugin Dmitry/Shutterstock ; page 77 : © David Hughes/Shutterstock ; page 78 : © Muzhik/Shutterstock ; page 81 : © Pichugin Dmitry/Shutterstock ; page 83 : © Patrick Poendl/Shutterstock ; page 84 : © Kuznetsov Alexey/Shutterstock ; page 89 : © Alexander Zotov/iStockphoto ; page 90 : © KJBevan/Shutterstock ; page 93 : © Miroslava Vasileva/Shutterstock ; page 94 : © ClimberJAK/Shutterstock ; page 96 : © Tomas Sereda/Shutterstock ; page 98 : © Pierre Yu/Shutterstock ; page 99 : © LianeM/Shutterstock ; page 100 : © Stanislav Bokach/Shutterstock ; page 103 : © Sergii Gnatiuk/iStockphoto ; page 104 : © Markus Gann/Shutterstock ; page 107 : © BigganVi/Shutterstock ; page 108 : © Leonid_tit/Shutterstock ; page 111 : © Mycola/Shutterstock ; page 115 : © Rashevska Nataliia/Shutterstock ; page 116 : © Iadams/Shutterstock ; page 118 : © Djgis/Shutterstock ; pages 120 et 122 : © Airportrait/Shutterstock ; page 123 : © 2009fotofriends/Shutterstock ; page 126 : © Catalin Petolea/Shutterstock ; page 128 : © Susan Montgomery/Shutterstock.

p 61

Références bibliographiques

Gustave Thibon, *L'échelle de Jacob*

Christian Bobin, *Ressusciter*

Denis Boulbes, *Paroles de marche*

Alexandra David-Néel

Jacques Brel

Table des matières

Ce livre a été imprimé au Québec en mars 2012
sur les Presses de TC Transcontinental.